Agentes secretos y el mural de Picasso

MIRA CANION

Agentes secretos y el mural de Picasso

Cover art and artwork by David Bruce Bennett

Layout edited by Yajayra Barragan

Chapter photography by Mira Canion

ISBN 978-1-947006-03-4

Nota de la autora

The Spear of Destiny has a fascinating history. It pierced Christ's side during his crucifixion, and thus it is believed to possess supernatural powers. According to legend, whoever holds it controls the destiny of the world. If the Spear were lost, death would follow. French King Louis IX, Saint Louis, bought the Spear tip during a crusade and built the Sainte-Chapelle to display it and other holy relics. Around 1789, during the French Revolution, the Spear disappeared without a trace. A modern search for the Spear began when Hitler confiscated all holy relics in his quest to conquer Europe.

My lively and somewhat lighthearted story starts in 1937 by blending this modern search for the spear with the Nazi bombing of Guernica, Spain during that same year. Pablo Picasso, a famous Spanish artist and permanent resident of France, painted 'Guernica' to decry the horrors of the Spanish Civil War. Exactly in the middle of the painting and of my story, is a spear. Let your imagination run wild and happy reading.

Mira Canion
Colorado
miracanion.com

París, Francia

CAPÍTULO UNO
Talento

París, Francia

Muchas personas están en París, Francia en 1937. Las personas visitan la Exposición Internacional. Dos personas, Paula y Luis, visitan París. Paula y Luis visitan París, porque tienen un motivo secreto. Investigan un rumor: hay un secreto en un mural.

El mural está en la Exposición Internacional. El secreto está en el mural: información de la Lanza del Destino. La Lanza es una leyenda fascinante. La Lanza es mágica. La persona que tiene la Lanza, controla el destino de Europa.

Paula está en París con Luis, porque tiene un talento especial. Paula tiene una imaginación excepcional. Observa imágenes secretas en el arte. Y observa símbolos secretos.

Paula no es una chica muy lógica. Es una chica romántica. Habla mucho con los chicos. Paula es de Barcelona, España. Es amiga de Luis. Paula tiene 22 años. Tiene el pelo largo y negro. Paula es muy guapa, superguapa.

París, Francia

Luis es de Barcelona, España. Tiene 23 años. Es un chico inteligente y serio. Luis es amigo de Paula. Luis es impaciente. Quiere urgentemente información de la Lanza, porque su papá quiere la Lanza.

El papá de Luis es una persona importante en España. Su papá es un político en España. El papá de Luis tiene muchos problemas. Hay mucha violencia en España. Un grupo militar ataca España. El grupo ataca a los políticos.

El grupo tiene un general. El general es Francisco Franco. El General Franco quiere controlar ilegalmente España. Franco es cruel.

Franco tiene información del rumor. Y tiene información de Paula y Luis. Franco quiere investigar el rumor, porque quiere la Lanza. Quiere la Lanza, porque quiere controlar España. Quiere controlar el destino de España.

El papá de Luis quiere la Lanza, porque quiere defender España. Quiere controlar el destino de España. Quiere la Lanza inmediatamente.

CAPÍTULO DOS

Agente romántico

París, Francia

Paula y Luis están en la Exposición Internacional. Paula observa mucho el mural. La información de la Lanza está en el mural. Paula observa símbolos en el mural.

–¿Qué observas en el mural? ¿Dónde está la Lanza? –exclama Luis.

Paula no responde. Paula observa el mural.

Catedral de Notre Dame

–¿Observas información de la Lanza? –insiste Luis.

–Sí, símbolos –responde Paula.

Dos chicos misteriosos observan la conversación. Los chicos son agentes secretos. Los agentes son agentes secretos de Franco. Los agentes tienen información de Paula y Luis. Los agentes observan a Paula, porque Paula investiga el mural. Los agentes quieren la Lanza del Destino también. Los agentes quieren la Lanza, porque Franco quiere controlar España.

Un agente es Javier. Es un agente cruel. Javier no es muy inteligente. Es un chico serio. No es muy popular con las chicas. No es guapo. Tiene 24 años.

El agente número dos es Mario. Tiene un talento especial. Mario es un agente romántico. Es experto en hablar románticamente con las chicas.

Mario no es grande. Es pequeño. Tiene el pelo negro y los ojos negros. Tiene 20 años. Es guapo, muy guapo.

CAPÍTULO TRES

El mural famoso

París, Francia

Mario observa mucho a Paula, porque Paula es muy guapa. Mario le dice a Javier:

–Paula es muy guapa, superguapa.

Javier le pega a Mario en el brazo.

–Silencio –insiste Javier.

Paula observa el mural. El mural se llama 'Guernica', porque el mural representa la destrucción de Guernica, España. Franco y sus amigos militares bombardearon Guernica.

El mural es de Pablo Picasso. Picasso es un artista famoso. Picasso tiene mucho talento.

En el mural solamente hay dos colores: blanco y negro. Hay seis personas y tres animales. Hay nueve cabezas

Picasso pintó el mural 'Guernica' aquí

en total. Hay tres cabezas de animales y seis cabezas de personas. Muchas cabezas tienen una expresión de terror, porque hay bombas en Guernica.

Los ojos de las cabezas no son normales. Las manos no son normales. Son grandes. Los dedos no son normales. Los dedos son enormes.

Paula observa tres animales. Paula observa un caballo[1]. El caballo no es normal. Una lanza penetra en el estómago del caballo. Paula observa mucho la lanza.

---

1 **caballo** - horse

Paula observa un toro[2]. Paula también observa a las seis personas en el mural. Las personas sufren mucho.

Paula escribe sus observaciones en un papel. Tiene interés en los símbolos. Luis observa los símbolos también. No comprende los símbolos. Luis quiere información sobre la Lanza. Luis dice:

–¿Qué escribes en el papel?

–Símbolos –comenta Paula.

–¿Qué símbolos? –dice Luis.

Luis es una persona muy impaciente. Quiere información de la Lanza. Pero Paula está exhausta. Paula dice:

–Quiero hablar en un café.

–Excelente idea. Vamos. Vamos a un café –responde Luis.

Javier y Mario escuchan la conversación. Javier dice:

–¡Vamos! Paula va a un café.

–Perfecto. Vamos –responde Mario.

---

2 **toro** – bull

El restaurante 'Les Deux Magots'

CAPÍTULO CUATRO

Café

París, Francia

En París, hay un café popular. El café se llama 'Les Deux Magots'. Paula y Luis caminan hacia el café. Javier y Mario caminan detrás de Paula y Luis. Caminan detrás de Paula y Luis en secreto. Paula y Luis no observan a Javier. No observan a Mario.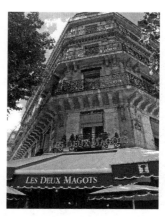

En el café, Javier habla con Mario. Habla de una cámara. Es una cámara secreta. La cámara está en un sombrero. Javier le dice a Mario:

–Toma el sombrero. La cámara está en el sombrero. Yo quiero fotos de la investigación de Paula.

–Perfecto. Fotos de Paula –dice Mario.

–¡No! ¡Mario! Fotos de la investigación –responde Javier.

–Comprendo. Fotos de la investigación –dice Mario.

Paula habla con Luis. Habla sobre el mural de Picasso. Javier escucha la conversación. Luis quiere información de la Lanza. Está impaciente. Luis dice:

–¿Qué observas en el mural?

–La Lanza está en el centro de un patio. Es una casa grande. Una lámpara es importante –explica Paula.

–Interesante. Una casa grande. Una casa con una lámpara –dice Luis.

Paula ve imágenes en su imaginación. Ve una casa enorme con lámparas. Paula escribe en el papel. Luis no comprende los símbolos. Paula dice:

–¿París tiene una conexión con la Lanza?

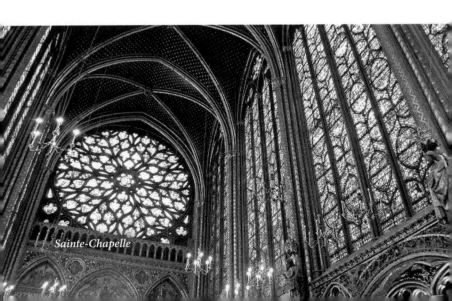
Sainte-Chapelle

–Sí, la Lanza tiene una conexión con la Sainte-Chapelle. Es una catedral pequeña en París –responde Luis.

Luis explica la historia de la Sainte-Chapelle. Paula es curiosa. Paula le dice:

–Quiero investigar la Sainte-Chapelle.

–Buena idea. ¡Vamos! –exclama Luis.

Javier y Mario caminan detrás de Luis y Paula. Quieren la información de la Lanza.

Sainte-Chapelle

CAPÍTULO CINCO

La lámpara

París, Francia

En secreto, Luis y Paula entran en la catedral. Javier y Mario entran detrás de Paula y Luis. Paula observa la catedral. La catedral es similar a la casa en la imaginación de Paula.

Luis y Paula caminan por la catedral. Hay muchas columnas. Luis y Paula observan las columnas. Mario y Javier caminan por la catedral en silencio.

Luis enciende una vela[1]. Luis camina con la vela hacia una columna. Paula observa curiosamente a Luis. En particular, Paula observa la vela. En su imaginación, Paula ve la lámpara en el mural. La vela es similar a la lámpara en el mural. Paula dice:

–Luis, camina hacia la columna en el centro.

---

1   **enciende una vela** – lights a candle

–¿Por qué? –dice Luis.

–La vela es idéntica al mural –responde Paula.

Luis camina hacia la columna que está en el centro de la catedral. Está frente a la columna. Mario y Javier caminan en secreto hacia Paula y Luis. Mario y Javier están detrás de una columna. Paula dice:

–En el mural, la lámpara y la lanza están en el centro del patio.

–¿La lanza está en una columna? –comenta Luis.

–Es posible –responde Paula.

Luis camina hacia la columna. Paula observa la columna. En la columna están cuatro símbolos. Paula exclama:

–¡Mira! Hay cuatro símbolos.

Mario camina en silencio hacia la columna. Quiere fotos de los símbolos. Paula y Luis no ven a Mario.

Luis está impaciente. No comprende los símbolos. Quiere información de la Lanza.

Por accidente, la vela quema[2] el pelo de Paula. Luis le pega a Paula en el pelo, porque el pelo se quema. Paula

---

2 **quema** – sets fire to, burns

está furiosa, porque Luis le pega. Entonces, Paula le pega a Luis. Pero Luis exclama:

–¡Tu pelo se quema!

Paula mira el pelo. En ese momento, el pelo no se quema. Paula no está contenta. Paula dice:

–¡Vamos!

–¿Y los símbolos en la columna? –insiste Luis.

–Cuatro gatos –responde Paula.

Paula y Luis son de Barcelona. Tienen mucha experiencia en Barcelona. Luis comenta:

–Es curioso. 'Los cuatro gatos' es un restaurante en Barcelona.

–Es el restaurante favorito de Picasso –responde Paula.

–Y en el restaurante, Picasso tiene exposiciones –dice Luis.

Mario y Javier escuchan la conversación. Javier quiere fotos del papel de Paula. No comprenden por qué el restaurante es importante. Mario y Javier no son de Barcelona. Paula y Luis son de Barcelona. Luis dice:

–Vamos a Barcelona. Vamos al restaurante.

–¡Excelente! Quiero ver el arte de Picasso –exclama Paula.

CAPÍTULO SEIS

Fotos

Barcelona, España

Paula y Luis van hacia Barcelona, España. Paula y Luis son de Barcelona. Quieren investigar el restaurante. Barcelona está en la costa de España.

Javier y Mario van detrás del coche de Paula. El coche de Paula es especial. Es rápido. Es un Talbot-Lago del año 1937. Es un coche pequeño.

El Mercedes es el coche de Javier. Es un coche excelente. Es un coche rápido.

Talbot-Lago 1937, el coche de Paula

En Barcelona, Paula y Luis no van directamente al restaurante. Van a un parque famoso. Javier y Mario van al parque en secreto. Luis quiere que Paula compare Barcelona con el mural. Es posible ver muchos ángulos de Barcelona desde el parque. Es posible ver la costa, el centro y catedrales. El parque se llama Parque Güell.

En el parque, Paula mira su papel. Paula observa Barcelona y compara Barcelona con el mural. En su papel están sus observaciones del mural.

Javier quiere fotos del papel de Paula. Javier le dice a Mario:

–Quiero fotos del papel de Paula.

–Yo quiero tomar las fotos –dice Mario.

–Excelente. Toma fotos del papel –responde Javier.

Mario camina hacia Paula y Luis. Mario tiene una cámara secreta en el sombrero.

Paula observa a Mario. Observa su pelo y sus ojos. Mario tiene los ojos negros. Es muy guapo. Paula mira mucho a Mario porque es muy guapo.

El sombrero de Mario

Parque Güell

Mario mira románticamente a Paula. Y Paula mira románticamente a Mario. Paula dice:

–Hola. ¿Qué tal?

–Bien –responde Mario.

–¿Cómo te llamas? –dice Paula.

–Me llamo Mario. Y mi amigo se llama Javier –responde Mario.

Mario mira los ojos de Paula. En secreto, Mario toma muchas fotos de Paula. Toma fotos de sus ojos y su boca. Toma fotos de su pelo.

Mario camina hacia Paula. Mario le dice a Paula:

–Tú eres muy guapa. Tus ojos son divinos.

–Gracias. Y tú eres guapo también –responde Paula.

–¿Eres de Barcelona? –dice Mario.

–Sí. ¿Y tú? ¿De dónde eres? –responde Paula.

–Del paraíso –explica Mario románticamente.

Paula está contenta. Quiere hablar con Mario. Pero Luis toma la mano de Paula. Luis está impaciente. Luis le dice a Paula:

–Vamos al restaurante.

–Pero Mario es muy guapo. Y muy interesante –responde Paula.

–La investigación es muy interesante. Vamos al

restaurante –insiste Luis.

Paula y Luis caminan por el parque. Caminan hacia el coche. Mario corre hacia Javier.

–¿Tienes fotos? –dice Javier.

–Sí, muchas fotos. Muchas fotos de Paula –responde Mario.

–¡No quiero fotos de Paula! ¿Dónde está Paula? –exclama Javier.

–Paula y Luis van al restaurante –explica Mario.

–Vamos al restaurante también –dice Javier.

El restaurante 'Los cuatro gatos'

CAPÍTULO SIETE

Cuatro gatos

Barcelona, España

Paula y Luis entran en el restaurante 'Los cuatro gatos'. Quieren ver el arte de Picasso. Javier y Mario entran en secreto en el restaurante. Muchas personas en el restaurante hablan sobre la política. Hablan sobre el conflicto nacional. Hay una guerra civil[1]. El General Franco y sus amigos militares quieren controlar ilegalmente España.

En el restaurante hay una exposición de arte. Hay tres cuadros[2] de Picasso. Luis quiere

---

1 **guerra civil** – The Spanish Civil War (1936-1939) was started by several military leaders, including Francisco Franco. They tried to quickly take over the government, but it turned into a three-year war. Barcelona was the scene of many battles.

2 **cuadros** – paintings

que Paula compare estos cuadros con el mural 'Guernica.'

Paula observa los cuadros de Picasso. Un cuadro representa la historia original de la Lanza del Destino. En el cuadro hay un chico sobre un caballo[3]. El chico tiene la Lanza. Luis mira el cuadro y exclama:

–¡La Lanza del Destino!

–Sí. Un chico sobre un caballo tiene la Lanza –responde Paula.

–¿Dónde está la Lanza? ¿En España? ¿Qué observas en los cuadros? –dice Luis.

En el cuadro hay un chico sobre un caballo

---

3 **caballo** – horse

Paula observa los cuadros. También mira el papel con sus observaciones. Paula compara el mural 'Guernica' con los cuadros. Paula comprende que el toro es el símbolo importante.

En su imaginación, Paula ve el mural. Paula ve un toro y a seis personas. Las personas tienen una expresión de terror, porque el toro corre hacia las personas. Paula dice:

–¿En qué parte de España hay toros que corren hacia las personas?

–Pamplona. En Pamplona muchos toros corren hacia las personas –responde Luis.

–¿La Lanza tiene una conexión con Pamplona?

Luis habla de la historia de la Lanza en París. Habla de la Sainte-Chapelle. Paula dice:

–¿Por qué la Lanza no está en la Sainte-Chapelle?

–Durante la Revolución Francesa en 1789, una persona tomó la Lanza de la Sainte-Chapelle.

–¡Qué interesante! –responde Paula.

Luis habla sobre la historia de Louis XVI. Luis explica que Louis XVI controló Francia durante la Revolución Francesa. También Louis XVI controló una parte de España. Paula comenta:

–¿Una parte de España? ¿Qué parte? –dice Paula.

–¡Navarra[4]! –responde Luis.

–¿Navarra tiene toros que corren hacia las personas? –comenta Paula.

–¡Sí! Pamplona está en Navarra. Pamplona es la capital de Navarra –responde Luis.

–¡Muy interesante! ¡Vamos a Pamplona! –exclama Paula.

Mario y Javier escuchan la conversación. Comprenden que la Lanza está en Pamplona, España. Pamplona está en el norte de España.

Paula escribe en el papel. Escribe donde está exactamente la Lanza. Javier quiere el papel de Paula, porque el papel tiene información de la Lanza. Javier tiene un plan.

---

4 **Navarra** – Navarre is a region in northern Spain.

CAPÍTULO OCHO

Princesa

Barcelona, España

Javier quiere el papel de Paula inmediatamente. Está furioso porque Mario no es un agente muy efectivo. Paula identifica a Mario con ropa de agente secreto. Javier quiere que Mario hable con Paula con ropa de chica. Javier quiere el papel de Paula. Javier dice a Mario:

—Quiero que hables con Paula, pero con ropa de chica.

Las Ramblas

–¿Qué? ¿Yo? ¿Con ropa de chica? –responde Mario.

–Tú no eres efectivo con ropa de agente secreto –explica Javier.

–¿Pero yo? ¿Con ropa de chica? –exclama Mario.

–¡Rápido! En ese momento tú eres una princesa. Y yo separo a Luis de Paula –dice Javier.

Paula y Luis caminan hacia el coche. Javier camina detrás de Paula y Luis. Caminan por una calle grande. Es una calle muy popular. La calle se llama las Ramblas[1]. Hay mucha actividad. Muchas personas caminan por la calle.

Javier camina hacia Paula y Luis. Quiere separar a Luis de Paula. Javier dice a Paula:

–Chica, observa a la princesa.

Cuando Paula observa a Mario, Javier habla con Luis. Paula observa a la princesa. La princesa es interesante. Es evidente que la princesa es un chico. Tiene las manos grandes. Tiene también los brazos grandes. Paula mira los ojos de la princesa. Tiene los ojos negros. La princesa

---

1 **Ramblas** – a wide street in Barcelona. Today it is full of vendors and performers.

dice a Paula:

–¡Hola! ¿Qué tal?

–Bien, princesa –responde Paula.

–Tú eres una princesa. Eres muy guapa –dice el actor.

La princesa extiende la mano a Paula. Cuando Paula extiende la mano, la princesa toma el papel de Paula. En el papel están sus observaciones. Paula ve que la princesa toma el papel. Rápidamente, Paula toma el papel. Paula le pega en el brazo a la princesa. Le dice:

Casa Batlló, Barcelona

–¡Pirata! ¿Por qué tomas mi papel?

–¿Tu papel? –responde la princesa.

Intensamente, Paula mira los ojos de la princesa. Paula observa que la princesa tiene los ojos negros. Los ojos son familiares. De repente, Paula exclama: –¡Mario!

Muy rápido, Mario atrapa a Paula. Pero Paula le pega en la cabeza a Mario. Paula escapa de los brazos de Mario. Entonces, Mario corre hacia Paula. Mario no corre muy rápido porque está con ropa de princesa.

Luis ve a Paula. Corre hacia Paula. Toma la mano de

Paula. Corre con Paula hacia el coche.

Javier corre hacia Mario. Está furioso. Javier exclama:

–¿Por qué no corres rápido?

–Una princesa no corre –explica Mario.

–¡No quiero excusas! ¡Vamos! ¡Paula escapa! –exclama Javier.

Plaza Cataluña

CAPÍTULO NUEVE

La explosión

Barcelona, España

Luis y Paula quieren escapar de Mario y Javier. Luis y Paula corren rápido por una plaza pequeña. La plaza se llama Sant Felip Neri. Hay muchas personas en la plaza. De repente, explota una bomba. ¡Crac! La explosión es grande.

Paula está nerviosa. No ve a Luis. Paula camina por la

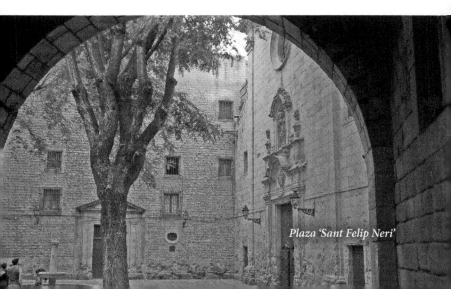

Plaza 'Sant Felip Neri'

plaza pequeña. Paula observa que Luis no está en la plaza. No ve a Luis. Paula camina por la plaza. Ve a Luis. Está en una calle pequeña. Paula corre hacia Luis. Observa que Luis está bien. Luis ve a Paula. Luis dice:

–¡Paula!

–¡Luis! ¿Estás bien? –exclama Paula.

–Sí. ¡Vamos! ¡Vamos al coche! –insiste Luis.

–¿Por qué explota una bomba[1]? –comenta Paula.

–La situación es urgente. ¡Vamos! La Lanza es muy importante –explica Luis.

Rápidamente, Paula y Luis van hacia el coche. Las calles tienen muchas curvas. Las calles son muy pequeñas. Javier y Mario caminan detrás de Paula y Luis.

Paula y Luis caminan por una plaza grande. La plaza se llama Plaza Cataluña. Cuando caminan por la plaza, hay mucho pánico. Hay personas que tienen rifles. Muchas personas corren por la plaza.

---

1 During the Spanish Civil War, Francisco Franco and his military set off a bomb in this plaza killing 42 people, mostly children.

Las calles son muy pequeñas

El Mercedes, el coche de Javier

CAPÍTULO DIEZ

El coche rápido

Barcelona, España

Paula y Luis corren al coche. El coche va muy rápido por las calles de Barcelona. De repente, Paula observa un coche detrás de su coche. El coche es un Mercedes. El Mercedes va muy rápido. En el Mercedes están Mario y Javier.

El Mercedes acelera. Paula acelera. De repente, hay una curva en la calle. Paula acelera. Luis está nervioso. Le dice a Paula:

–¿Estás loca? ¿Por qué aceleras?

–Quiero escapar –responde Paula.

–¡No aceleres! Hay una curva –insiste Luis.

Paula no escucha a Luis. Acelera mucho. Javier también acelera. Javier quiere atrapar el coche de Paula. De repente, el coche de Paula salta[1] de la calle.

---

1   **salta** – jumps

Luis exclama:

–¡Paula!

Paula se concentra mucho. El coche de Paula entra en una calle pequeña. También el Mercedes salta de la calle. Tiene un accidente. El Mercedes no entra en la calle pequeña. El coche de Paula escapa. Entonces, el coche de Paula continúa hacia Pamplona.

Pamplona, España

CAPÍTULO ONCE

Toros

Pamplona, España

En Pamplona, Luis y Paula van a la plaza central. Hay muchos cafés en la plaza. Pamplona es diferente a Barcelona. Pamplona es muy pequeña. Cuando caminan por la plaza, Paula ve a Mario. Javier camina con Mario. Paula exclama:

–¡Mira! ¡Es Mario! ¡Corre!

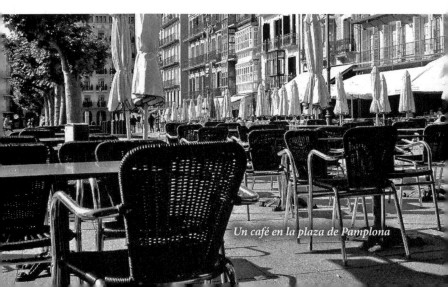

Un café en la plaza de Pamplona

Los dos corren rápidamente. Javier y Mario corren detrás de Paula y Luis. Muy rápido, Paula y Luis corren hacia una barrera[1]. Saltan rápidamente sobre la barrera. Saltan porque quieren escapar de Mario y de Javier. Hay muchas personas que los observan.

Inmediatamente, Javier y Mario saltan sobre la barrera. Javier y Mario ven a Paula y a Luis. No es posible escapar rápidamente, porque hay muchas personas. Paula está muy nerviosa.

Javier y Mario corren hacia Paula y Luis. De repente,

---

1 **barrera** – barrier

Una barrera

seis toros corren por la calle. Muchas personas corren por la calle. ¡Es un encierro de toros[2]!

Luis corre rápidamente delante de los toros. Luis escapa de los toros. También Javier escapa de los toros, porque corre rápidamente.

Pero Mario y Paula no escapan rápidamente. Los toros corren detrás de Paula y Mario. Paula corre rápidamente pero hay muchas personas.

Mario corre detrás de Paula. Un toro les pega a Mario y a Paula. ¡Uf! Paula y Mario caen a la calle, pero el toro no les ataca. El toro corre hacia la plaza de toros.

De repente, un toro diferente salta sobre Paula y Mario. Paula está nerviosa, pero el toro no les ataca. Inmediatamente, Mario toma el papel de Paula. Mario se levanta con el papel en la mano. Paula se levanta furiosamente. Paula quiere el papel.

Mario está contento, porque tiene el papel. Paula quiere tomar el papel. Mario tiene el papel en la mano y dice románticamente:

–Mira, guapa. El papel.

---

2   **encierro de toros** – running of the bulls

–¡Mario! ¿Por qué tomas mi papel? –exclama Paula.

Mario no responde porque en ese momento, un toro grande corre por la calle. El toro ve el papel que está en la mano de Mario. El toro corre hacia Mario, porque quiere atacar a Mario.

Rápidamente, Mario corre hacia una barrera. El toro ataca a Mario. El toro le pega a Mario en un brazo. Con la cabeza, el toro levanta completamente a Mario. ¡Uf! Mario se cae. Y el papel se cae.

Entonces, el toro ataca a Mario con la cabeza. Le pega a Mario con la cabeza. El toro levanta a Mario.

Paula ve que el papel cae a la calle. Paula toma el papel y corre, porque quiere escapar con el papel.

Inmediatamente, el toro ve a Paula. El toro corre detrás de Paula. Rápidamente, Paula salta sobre la barrera y escapa del toro. Mario se levanta y salta sobre la barrera. Mario camina detrás de Paula en secreto.

CAPÍTULO DOCE

Plaza de toros

Pamplona, España

Paula ve a Luis frente a un restaurante. Luis está impaciente. Quiere la Lanza inmediatamente. Luis dice:

–La situación es urgente. Mario y Javier quieren la Lanza.

–Sí. Es urgente –dice Paula.

–¿Qué observas en tu imaginación? –comenta Luis.

Pamplona

–Un chico sobre un caballo tiene la Lanza –explica Paula.

Luis comenta que en la plaza de toros[1], hay chicos sobre caballos. Paula exclama:

–¡Vamos a la plaza de toros!

–Buena idea. ¡Vamos! –dice Luis.

Paula y Luis entran en la plaza de toros. Hay una corrida de toros. Hay muchas personas en la plaza de toros. Las personas quieren ver la corrida de toros.

Paula mira el papel con sus observaciones. Mira los

---

1 **plaza de toros** – bullring

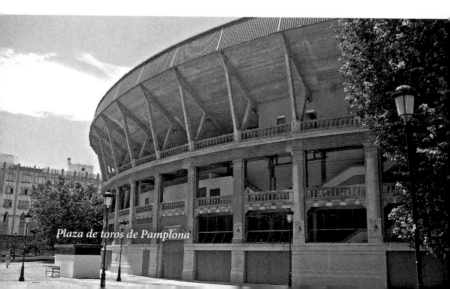

Plaza de toros de Pamplona

símbolos en el papel. Paula comenta a Luis:

–En el mural de Picasso, una lanza penetra en el estómago del caballo.

–¡Qué interesante! Normalmente la lanza penetra al toro –dice Luis.

Paula no responde porque hay mucho aplauso. Un picador[2] entra en la plaza de toros. El picador está sobre un caballo. El picador tiene una lanza en la mano. Paula observa intensamente la lanza.

La pierna del caballo está en forma de una cabeza de un toro

Paula mira los símbolos en el papel. En su imaginación, Paula ve al caballo que está en el mural. Ve también a un picador. El picador está sobre un caballo. El caballo tiene cuatro piernas. Una pierna es especial. La pierna está en forma de una cabeza de un toro[3].

---

2 **picador** – horseman who stabs the bull in the neck during a bullfight.

3 Paula sees an abstract bull's head. In the mural, the horse's bent leg is the front part of the bull's head, the knee is the snout, and the notch above the hoof is the eye.

Paula comenta a Luis:

–En el mural, el caballo es un símbolo importante.

–¿El caballo representa el caballo de un picador? –dice Luis.

–¿Y el picador penetra al toro secreto con la lanza? –comenta Paula.

–¿Un toro secreto? ¿Dónde? –insiste Luis.

En ese momento, el toro en la plaza corre hacia el caballo. El toro ataca al caballo con la cabeza. El picador ataca al toro con la lanza. La lanza penetra al toro. Y el toro se cae. Un toro normalmente no se cae. La lanza paraliza al toro, porque la lanza es especial.

Paula ve el mural en su imaginación. Imagina que hay una cabeza de un toro secreto. Paula se levanta y exclama:

–¡Mira! La lanza paraliza al toro.

–Correcto. El toro se cae. No es normal –comenta Luis.

–¿Es posible? ¿El picador tiene la Lanza del Destino? –dice Paula.

Rápido, Paula corre hacia la barrera de la plaza de toros. Luis se levanta y corre detrás de Paula. Luis ve que Paula quiere saltar sobre la barrera. Paula quiere entrar en la plaza de toros, porque quiere la Lanza. Luis exclama:

–¡No! ¡No entres en la plaza! Hay un toro.

–Pero el picador tiene la Lanza –insiste Paula.

Muy rápido, Paula salta sobre la barrera. Luis no salta sobre la barrera. En la plaza de toros, Paula corre hacia el picador. El picador ve a Paula. El picador está confuso. No comprende por qué Paula corre por la plaza. Paula toma la Lanza del picador.

Mario quiere la Lanza. Mario salta sobre la barrera y corre hacia Paula. En ese momento, el toro se levanta y corre hacia Mario. El toro le pega a Mario en las piernas. Paula corre hacia la barrera y salta sobre la barrera.

Luis está con Paula detrás de la barrera. Luis está muy contento, porque Paula tiene la Lanza. Luis le dice:

–¡Tienes la Lanza! ¡Excelente! ¡Vamos!

–¡Sí, vamos! –responde Paula.

El puente en Pamplona

CAPÍTULO TRECE

La Lanza

Pamplona, España

Rápidamente, Luis y Paula corren por una calle. Javier ve que Paula tiene la Lanza. En secreto, Javier corre detrás de Paula y Luis, porque quiere la Lanza. Javier corre rápidamente.

De repente, Javier salta y le pega a Luis en las piernas. Luis se cae. Paula no observa que Luis se cae. Paula corre hacia un parque.

Hay un puente en el parque. Cuando Paula corre por el puente, escucha:

–¡Paula! ¡Paula! –exclama una persona.

Paula ve que la persona no es Luis. La persona es Mario. Paula está nerviosa porque Luis no está. Paula exclama:

–¡No! ¡No camines!

Mario quiere hablar románticamente con Paula, porque tiene un motivo secreto. Mario quiere la Lanza. Mario camina hacia Paula, pero Paula repite:

–¡No camines!

Mario no camina hacia Paula. Mario mira románticamente a Paula porque quiere la Lanza.

–Eres muy guapa –dice Mario románticamente.

–Gracias –responde Paula rápidamente.

Paula está confusa porque Mario le habla románticamente. Paula no comprende los motivos de Mario. Paula mira los ojos de Mario.

–¡Paula! –exclama Luis.

–¡Luis! –responde Paula.

Pamplona

CAPÍTULO CATORCE
La parte mágica

Pamplona, España

Paula observa a Luis. Observa que Luis está con Javier y Mario. Luis es el prisionero de Javier porque Javier quiere la Lanza.

De repente, un gato negro camina frente a Paula. Entonces, Paula observa al gato. Paula no observa a Javier.

–¡Corre! –exclama Luis.

Paula mira inmediatamente a Luis. Javier y Mario no están con Luis, porque corren hacia Paula. Corren rápidamente. Paula corre, pero se cae sobre el gato. Paula se cae y la lanza va por el aire.

Mario y Javier observan que la lanza va por el aire. Entonces, la lanza cae al agua y flota en el agua. Mario y Javier saltan rápidamente al agua, porque quieren la lanza. Luis también quiere saltar al agua. Pero Paula exclama:

–¡No! ¡No saltes!

–¿Por qué no? –responde Luis.

–La Lanza no flota en el agua –explica Paula.

–¿Dónde está la Lanza? –dice Luis.

Paula mira el puente. Parte de la Lanza está en el puente. Es la parte metálica de la Lanza. Es la parte mágica de la Lanza. Paula toma esa parte de la Lanza.

–La parte metálica se separa de la Lanza –explica Paula.

Luis está muy contento. Luis dice:

–¡La Lanza! ¡Tú tienes la Lanza! Tienes la parte mágica.

–¡Sí! –responde Paula.

–¡Vamos al coche! –exclama Luis.

Paula y Luis corren al coche con la Lanza. Javier y Mario van hacia la parte de la lanza que está en el agua. Javier toma esa parte de la lanza. Javier ve que no está la parte metálica. No es la Lanza del Destino. Javier y Mario están furiosos, porque no tienen la Lanza.

Paula y Luis van en el coche hacia Barcelona. Van a Barcelona porque el papá de Luis quiere la Lanza. Luis dice:

–Gracias por defender la Lanza.

–Gracias al gato negro. El gato es un héroe –responde Paula.

–El héroe es tu imaginación. La imaginación es importante –comenta Luis.

–Un buen amigo es importante, muy importante –explica Paula.

Luis está contento, porque Paula es una buena amiga y tiene una imaginación excepcional.

Pamplona

Glosario

a – to
accidente – accident
acelera – s/he accelerates
aceleras – you accelerate
aceleres – you accelerate
  (negative command form)
actividad – activity
actor – actor
agente – agent
agentes – agents
agua – water
aire – air
al – to the
amigo/a – friend
ángulos – angles
animales – animals
años – years
aplauso – applause
arte – art
artista – artist
ataca – s/he attacks
atacar – to attack

atrapa – s/he traps
atrapar – to trap
Barcelona – a city in Spain
barrera – barrier
bien – well
blanco – white
boca – mouth
bomba – bomb
bombardearon – they bombed
brazo – arm
buen/ buena – good
caballo – horse
cabeza – head
cae/ se cae – s/he falls
caen – they fall
café – coffee, cafe
calle – street
cámara – camera
camina – s/he walks
caminan – they walk
camines – you walk
  (negative command form)

capital – capital

capítulo – chapter

casa – house

Cataluña – Catalonia

catedral – cathedral

centro – center

central – central

chapelle – chapel (French word)

chica – young woman

chico – young man

civil – civil

coche – car

colores – colors

columna – column

comenta – s/he comments

cómo – how

compara – s/he compares

completamente – completely

comprende – s/he understands

comprenden – they understand

comprendo – I understand

con – with

concentra – s/he concentrates

conexión – connection

conflicto – conflict

confuso – confused

contento/a – happy

continúa – continues

controla – s/he controls

controlar – to control

controló – s/he controlled

conversación – conversation

corre – s/he runs

correcto – correct

corren – they run

corres – you run

corrida de toros – bullfight

costa – coast

crac – boom

cruel – cruel

cuadro – painting

cuando – when

cuatro – four

curiosamente – curiously

curioso – curious

curva – curve

de – of, from

de repente – suddenly

dedos – fingers

defender – to defend

del – from the

delante – in front of

desde – from

destino – destiny

destrucción – destruction

detrás de – behind

deux – two (French word)

dice – s/he says

diferente – different

directamente – directly

divinos – divine

dónde – where

dos – two

durante – during

efectivo – effective

el – the

en – in

enciende – s/he lights, ignites

encierro de toros – running of the bulls

enorme – enormous

entonces – then

entra – s/he enters

entran – they enter

entrar – to enter

entres – you enter (negative command form)

eres – you are

es – is

esa – that

escapa – s/he escapes

escapan – they escape

escapar – to escape

escribe – s/he writes

escribes – you write

escucha – s/he listens

escuchan – they listen

escuchar – to listen

ese – that

España – Spain

especial – special

está – s/he is

están – they are

estás – you are

estómago – stomach

estos – those

Europa – Europe

evidente – evident

exactamente – exactly

excelente – excellent

excepcional – exceptional

exclama – s/he exclaims

excusas – excuses

exhausta – exhausted

experiencia – experience

experto – expert

explica – s/he explains

explosión – explosion

explota – explodes

exposición – exhibition

expresión – expression

extiende – s/he extends

familiares – familiar

famoso – famous

fascinante – fascinating

favorito – favorite

flota – floats

forma – form

fotos – photos

Francesa – French

Francia – France

Franco – Spanish military officer who later became dictator

frente a – in front of

furiosamente – furiously

furioso – furious

gato – cat

general – general

gracias – thanks

grande – large, big

grupo – group

guapo/a – good-looking

Guernica – the name of Picasso's mural

guerra – war

habla – s/he talks

hablan – they talk

hablar – to talk

hable – s/he talk

hables – you talk (negative command form)

hacia – towards

hay – there is, there are

héroe – hero

historia – history

hola – hi

idea – idea

identical – identical

identifica – s/he identifies

ilegalmente – illegally

imagina – s/he imagines

imaginación – imagination

imágenes – images

impaciente – impatient

importante – important

información – information

inmediatamente – immediately

insiste – s/he insists

inteligente – intelligent

intensamente – intensely

interés – interest

interesante – interesting

internacional – international

investiga – s/he investigates

investigación – investigation

investigan – they investigate

investigar – to investigate

la – the

lámpara – lamp

lanza – spear, lance

Lanza del Destino – Spear of Destiny

largo – long

las – the

le – him, her

les – them

levanta/ se levanta – s/he raises; stands up

leyenda – legend

llama/ se llama – s/he calls; s/he calls herself/himself

llamas/ te llamas – you call; you call yourself

llamo/ me llamo – I call; I call myself

loca – crazy

lógica – logical

los – the

mágica – magical

magots – wise men (French word)

mano – hand

me – me

Mercedes – Mercedes

metálica – metal

mi – my

militar – military

mira – s/he looks

misteriosos – mysterious

momento – moment

motivo – motive

mucho/a – many, a lot

mural – mural

muy – very

nacional – national

Navarra – Navarre, a region in Spain

negro – black

nervioso – nervous

no – no

normales – normal

normalmente – normally

norte – north

nueve – nine

número – number

observa – s/he observes

observaciones – observations

observan – they observe

observas – you observe

ojos – eyes

original – original

Pamplona – city in northern Spain

pánico – panic

papá – dad

papel – paper

paraíso – paradise

paraliza – paralyzes

París – Paris, capital of France

parque – park

parte – part

particular – particular

patio – patio

pega – s/he hits

pelo – hair

penetra – penetrates

pequeño/a – small

perfecto – perfect

pero – but

persona – person

picador – horseman in a bullfight

Picasso – famous Spanish painter

pierna – leg

pirata – pirate

plan – plan

plaza – plaza

política – politics

político – politician

políticos – politicians

popular – popular

por – for, through, by way of

por qué – why

porque – because

posible – possible

princesa – princess

prisionero – prisoner

problemas – problems

puente – bridge

que – that

qué – what

qué tal – how are you

quema – sets fire to, burns

quiere – s/he wants

quieren – they want

quiero – I want

rápidamente – quickly, fast

rápido – fast

repente/ de repente – suddenly

repite – s/he repeats

representa – represents

responde – s/he responds

restaurante – restaurant

revolución – revolution

rifles – rifles

románticamente – romantically

romántico – romantic

ropa – clothes

rumor – rumor

sainte – Saint (French word)

salta – s/he jumps

saltan – they jump

saltar – to jump

saltes – you jump (negative form)

se – himself, herself

secreto – secret

seis – six

separa – s/he separates

separar – to separate

separo – I separate

serio – serious

sí – yes

silencio – silence

símbolos – symbols

similar – similar

situación – situation

sobre – over, on

solamente – only

sombrero – hat

son – they are

su – his, her

sufren – they suffer

superguapa – super good-looking

sus – his, her

talento – talent

también – also, too

te – you

terror – terror

tiene – s/he has

tienen – they have

tienes – you have

toma – s/he takes

tomar – to take

tomas – you take

tomó – s/he took

toro – bull

total/ en total – a total of

tres – three

tú – you

tu – your

tus – your

uf – ouch

un – a

una – a

urgente – urgent

urgentemente – urgently

va – s/he goes

vamos – let's go

van – they go

ve – s/he sees

vela – candle

ven – they see

ver – to see

violencia – violence

visitan – they visit

y – and

yo – I

Notas

Here are some themes and places for you to explore further:

- Pablo Picasso
- 1937 International Exposition in Paris
- Paris, France
- Sainte-Chapelle and its connection to the Spear of Destiny
- Les Deux Magots- where Picasso hung out
- French King Louis IX and his Spanish mother
- 'Guernica'- the mural
- Picasso's paintings depicting bulls, bullfighting, and the crucifixion
- Cubism style of painting
- Nazis' bombing of Guernica, Spain
- Bullfights and the Running of the Bulls
- Importance of the bull in Spanish culture
- Pamplona, Spain and the region of Navarra
- San Fermín celebration in Pamplona
- Barcelona: Park Güell, Las Ramblas, Sant Felip Neri, Plaza Cataluña (Plaça de Catalunya)
- 4 Cats restaurant (4 Gats) - where Picasso hung out and had his first public exposition
- Picasso Museum in Paris and Barcelona

- Barcelona's role in the Spanish Civil War
- Spear of Destiny
- Hitler's search for the Spear of Destiny and for other occult objects
- General Francisco Franco
- Spanish Civil War
- Spies and secret agents
- 1937 Talbot-Lago automobile
- Mercedes-Benz automobiles

Agradecimiento

Many thanks to Melanie Martin Lawhead, Carmen R. Andrews, Vilma Montealegre, Scott Benedict, Ignacio Almandoz, Gemma Urio, Pablo Ortega López, Contee Seely, Penelope Amabile, Beth Skelton, and the many students who read the pre-published manuscript, including students of Erie High School in Colorado.

Sobre la autora

Mira Canion is an energizing presenter, author, photographer, stand-up comedienne, and high school Spanish teacher in Colorado. She has a background in political science, German, and Spanish. She is also the author of the popular historical novellas *Piratas del Caribe y el mapa secreto, Rebeldes de Tejas, La France en danger et les secrets de Picasso, Fiesta fatal, La Vampirata, Tumba, Pirates français des Caraïbes, Rival, El capibara con botas, El escape cubano* as well as teacher's manuals. For more information, please consult her website: **www.miracanion.com**

Made in the USA
Columbia, SC
15 November 2018